D0959688

STAR WARS
THE CLONE WARS

Dans les précédentes éditions, ce texte portait le titre :
Star Wars, The Clone Wars
Conception graphique du roman : Laurent Nicole.
Traduction : Jonathan Loizel
Hachette Livre, 43, quai de Grenelle, 75015 Paris.

La trahison de Dooku

hachette
JEUNESSE

Les planètes de la galaxie doivent
choisir leur camp : s'allier aux
Séparatistes ou aider les Jedi à
protéger la République ? Un seul
clan survivra à cette guerre.
Le vainqueur contrôlera la galaxie
tout entière, et fera régner
la paix ou la terreur...

Les Jedi

Anakin Skywalker

L'ancien padawan d'Obi-Wan est devenu un Chevalier Jedi impulsif et imprévisible. Il a une maîtrise impressionnante de la Force. Mais est-il vraiment l'Élu que le Conseil Jedi attend ?

Ahsoka Tano

Yoda a voulu mettre Anakin à l'épreuve : il lui a envoyé une padawan aussi butée et courageuse que lui… Cette jeune Togruta possède toutes les qualités nécessaires pour être un bon Jedi, sauf une : l'expérience.

Les Jedi

Obi-Wan Kenobi

Général Jedi,
il commande l'armée
des clones. Il est reconnu
dans toute la galaxie
comme un grand guerrier
et un excellent négociateur.
Son pire ennemi est
le Comte Dooku.

Maître Yoda

C'est probablement
le Jedi le plus sage
du Conseil.
Il combat sans relâche
le Côté Obscur de la Force.
Quoi qu'il arrive,
il protégera toujours
les intérêts de
la République.

Les clones de la République

Ces soldats surentraînés ont tous le même visage puisqu'ils ont été créés à partir du même modèle, sur la planète Kamino. Le bras droit d'Anakin, le capitaine Rex, est un clone aussi entêté que son maître !

Les Séparatistes

Asajj Ventress

Cette ancienne Jedi
a rapidement préféré
le Côté Obscur
de la Force. Elle est la plus
féroce des complices du
Comte Dooku,
mais surtout, elle rêve
de détruire Obi-Wan.

Le Comte Dooku

Il hait les Jedi.
Son unique but est
d'anéantir la République
pour mieux régner
sur la galaxie. Il a sous
son commandement
une armée de droïdes
qui lui obéissent
au doigt et à l'œil.

Le Général Grievous

Ce cyborg
est une véritable
machine à tuer !
Chasseur solitaire,
il poursuit les Jedi
à travers toute
la galaxie.

Darth Sidious

Il ne montre jamais son
visage, mais c'est pourtant
ce Seigneur Sith qui dirige
Dooku et les Séparatistes.
Personne ne sait d'où il vient
mais son objectif est connu
de tous : détruire les Jedi
et envahir la galaxie.

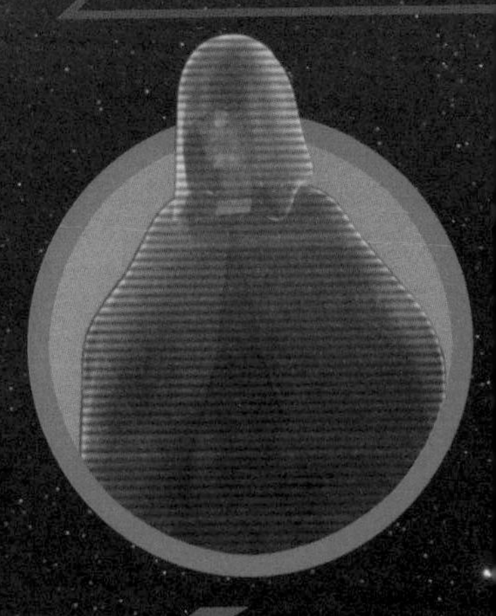

Résumé du tome 4 : Un nouveau disciple

Le fils de Jabba le Hutt a été kidnappé ! Anakin et sa padawan Ahsoka ont pour mission de le retrouver. Mais les Séparatistes n'ont pas dit leur dernier mot... Après un terrible combat sur la planète Teth contre Ventress, Anakin tente d'entrer en contact avec Obi-Wan Kenobi.

CHAPITRE 1

Seuls

— Maître Obi-Wan, vous me recevez ?

Le général Obi-Wan est au-dessus de la planète Teth, et il tente désespérément de venir en aide à Anakin, mais il est bloqué par de nombreux vaisseaux Vautour.

— Anakin, tu m'entends ? Il faut que tu reviennes, dit Obi-Wan.

Il ne doit pas m'entendre, les droïdes brouillent nos transmissions. J'espère que tout va bien pour lui, pense le jeune Jedi.

— Je n'arrive pas à parler à Obi-Wan. Je vais essayer de trouver le capitaine Rex, dit Anakin, qui n'entend que des grésillements.

Ahsoka court chercher R2-D2. Le petit droïde la gratifie de quelques bips de remerciements.

— De rien, R2. Il y en a au moins un ici qui apprécie mon aide.

Anakin change la fréquence de son émetteur pour contacter le capitaine des clones.

— Capitaine, vous m'entendez ? continue Anakin.

— Je vous entends, Général. Nous sommes coincés dans la cour du palais.

— Avez-vous besoin d'aide ?

Le capitaine ne répond pas, mais Anakin entend clairement des tirs de canon provenant des murs d'enceinte. On dirait que Rex et ses troupes sont attaqués.

— Je considère ça comme un oui, capitaine. Tenez bon, nous arrivons tout de suite ! continue Anakin.

Ils repartent tous les quatre en direction du palais.

— Maître, le Hutt va vraiment mal. Sa peau est passée par toutes les couleurs possibles, sauf celle d'origine ! remarque Ahsoka. Et notre mission principale est quand même de le ramener vivant sur Tatooine.

— Obi-Wan va sans doute arriver, mais pour l'instant nous devons aller aider Rex et appeler un vaisseau pour nous soutenir.

Rotta semble vraiment mal en point, mais Ahsoka se résigne à suivre Anakin vers le palais, quand soudain, ils entendent un bruit qu'ils ne connaissent que trop bien. Deux destroyers apparaissent au bout du couloir de la porte d'entrée, et roulent vers eux à toute allure.

— Super ! Revoilà les boules de nerfs ! murmure Ahsoka.

Les deux droïdes s'arrêtent un peu avant la porte, et envoient une première rafale de lasers. Les Jedi repoussent les rayons avec leur sabres, mais sont forcés de reculer vers la plate-forme tant les assauts des droïdes sont violents.

— R2 ! La porte, vite ! crie Anakin.

Le petit droïde roule aussi vite qu'il peut vers le mécanisme de la porte d'entrée, alors qu'un autre danger de taille apparaît derrière les destroyers. C'est Ventress avec ses deux sabres !

Mais elle est à peine arrivée, que *Whoom !* R2 actionne le mécanisme, et la porte se referme d'un coup sous le nez de Ventress ! Anakin pousse un soupir de soulagement.

Malheureusement, il se remet tout juste de ses émotions lorsqu'il ressent une intense chaleur qui émane de la porte. Ventress n'en a pas terminé ! Elle essaie de découper la porte avec son sabre-laser !

— Bon, je crois que c'est le moment de s'enfuir, dit Anakin.

— S'enfuir ? Je crois bien que c'est la première fois que je vous entends dire ça, Maître.

— Peut-être qu'on pourrait repartir vers la jungle, suggère le jeune Jedi en se penchant au dessus du plateau.

Plus bas, il aperçoit plusieurs droïdes araignée qui escaladent la paroi et tirent sur eux. Leurs rayons laser font trembler le plateau rocheux et s'envoler un essaim de libellules géantes.

— Tout compte fait, on va éviter de passer par là ! dit Anakin en s'écartant vivement du rebord.

De l'autre côté, Ventress a déjà découpé la moitié de la porte, et ne va pas tarder à arriver.

Le sol se met à trembler sous leurs pieds, et Anakin semble désemparé.

— Je suis à cours d'idées, avoue le Jedi.

— C'est vraiment pas le moment, vers de terre ! crie Ahsoka à Rotta qui s'est remis à hurler.

Mais tandis que la jeune fille regarde autour d'elle, elle comprend que le petit Hutt pousse en réalité des cris de joie. Il semble montrer du doigt quelque chose, et Ahsoka aperçoit au loin un autre plateau rocheux, lui aussi équipé d'une aire d'atterrissage. Il y a même un vaisseau posé dessus !

— Maître ! Regardez !

Anakin se retourne.

— C'est exactement ce dont nous avons besoin, dit-il.

— Bien vu, vers de terre ! s'exclame Ahsoka. Mais comment va-t-on rejoindre ce plateau ?

— Ça, je m'en occupe ! s'écrie-t-il.

Il se met soudain à courir et saute dans le vide sous le regard étonné de la jeune fille, et réapparaît quelques instants plus tard sur le dos d'une des libellules ! Il se lance dans un vrai rodéo pour stabiliser l'insecte qui se débat.

— J'espère que je n'aurai jamais à faire ça ! dit Ahsoka.

La porte du palais finit par céder sous les assauts de Ventress, qui sort comme une furie et fonce sur Ahsoka les sabres à la main.

Whoom ! Whoom ! Ahsoka pare les coups de Ventress avec bravoure, mais l'adversaire est trop puissant pour une padawan. La disciple du Côté Obscur lui assène un coup de pied qui la cloue au sol. Elle s'avance au-dessus d'Ahsoka, prête à en finir.

— Où est Skywalker ? siffle-t-elle.

— Juste derrière vous, Ventress ! crie Anakin.

Il chevauche toujours la libellule et vient percuter Ventress à pleine vitesse, pendant qu'Ahsoka se relève. Le sol tremble de plus belle lorsque les droïdes araignée atteignent le sommet du plateau. Ils concentrent leurs tirs de laser vers la plate-forme qui commence à s'effondrer.

Ventress effectue un saut périlleux arrière juste avant que tout ne s'écroule totalement, mais Ahsoka n'a pas eu le temps de réagir, et elle tombe avec le bâtiment.

— Tiens bon ! hurle le jeune Jedi.

— Comme si j'avais le choix ! crie-t-elle en tendant les mains.

Ana-kin arrive juste à temps. Il l'attrape et l'installe sur la libellule avec lui, alors qu'R2-D2 les rejoint en activant ses rétrofusées. Ils regardent la plate-forme d'atterrissage s'écraser dans la jungle en contrebas, pendant que Rotta émet des grognements de mécontentement.

— Oui, vers de terre. Moi aussi tu m'as manqué ! dit Ahsoka.

Ils volent vers l'autre plateau où ils ont repéré un vaisseau. Anakin espère simplement qu'il pourra décoller.

Car à moins qu'Obi-Wan n'apparaisse soudainement, ce vaisseau est leur seul espoir.

CHAPITRE 2

Affrontements

Obi-Wan est en plein combat contre les chasseurs Vautours au-dessus de la planète Teth. Les rebelles les attaquent comme des animaux sauvages qui ont trouvé une proie et ne la lâchent plus. Obi-Wan réussit à en détruire deux d'un coup en utilisant simultanément les canons laser avant et arrière.

Le Jedi fait un rapide tour d'horizon de la situation. La plupart des chasseurs Vautour ont été détruits, mais le Jedi aperçoit des nuages de fumée qui montent du palais de la planète Teth.

— J'ai l'impression que les combats ont repris sur le flanc Est du palais, indique Obi-Wan à tous les vaisseaux.

— Oui, j'ai vu aussi, Maître, répond le commandant Cody.

— À mon avis, c'est là-bas qu'on trouvera Anakin. Allons-y. Tous les vaisseaux derrière moi. Commandant Cody, préparez vos troupes pour l'assaut !

Mais Anakin est déjà parti, et s'est posé avec Ahsoka et R2-D2 sur l'autre plateau.

Le vaisseau qu'ils ont aperçu depuis le palais n'est en fait qu'un vieux navire cargo, dont le nom est à peine lisible. On peut lire *Twilight.*

— On va monter dans ce coucou ? Je pense

que cette libellule serait bien plus efficace, remarque Ahsoka.

— Allez, tous à bord, et on vérifie les moteurs, ordonne Anakin. *À supposer qu'il y ait un moteur…*, se dit-il.

Le *Twilight* est leur dernière chance et ils n'ont pas le temps de se plaindre.

Ahsoka appuie sur un le bouton d'ouverture de la porte, et, à sa grande surprise, celle-ci s'ouvre sur le droïde d'argent qu'ils ont rencontré dans le palais.

— Hé ! Vous êtes le domestique de tout à l'heure ! Je me demande comment vous êtes arrivé là, dit la jeune fille.

— Oh, euh, mademoiselle… enfin je veux dire, apprentie Jedi ! J'ai été obligé de fuir les combats de tout à l'heure et…

— Tout est prêt, partons d'ici maintenant, l'interrompt un droïde de combat, avant de remarquer les Jedi.

— Mais… Espèce de vieille casserole ! Tu nous as trahis ! crie Ahsoka.

— Détruisez-les ! ordonne le droïde d'argent.

Plusieurs autre droïdes de combat font leur apparition en tirant sur Ahsoka. Elle se rue sur eux en activant son sabre-laser, et tranche leurs bras armés de canons en quelques secondes avant de leur porter le coup de grâce ! Leurs carcasses de métal gisent aux pieds du droïde argenté.

— Vous n'oserez pas ! la provoque-t-il en voyant la jeune fille se diriger vers lui d'un air menaçant.

Whoom ! Ahsoka n'hésite pas un instant et tranche la tête du droïde qui roule jusqu'à Anakin. Il a observé la scène avec intérêt et sourit. Il grimpe dans le vaisseau avec Rotta et R2-D2.

Dans la cour du palais, Rex et ses clones sont engagés dans une terrible bataille avec les droïdes. Les clones se défendent courageusement, mais sont dépassés par le nombre d'adversaires. Les rebelles encerclent progressivement Rex et le peu de clones encore debout, avant que le capitaine des droïdes s'avance vers eux.

— Vous êtes pris au piège ! Rendez-vous, guerriers de la République !

Rex hésite encore. Il n'a pas l'habitude d'abandonner aussi facilement.

— Nous sommes bien plus nombreux que vous ! répond-t-il.

Le capitaine des droïdes ne comprend pas, et c'est exactement ce que Rex attendait.

— Plus nombreux ? Attendez, je compte. Un, deux…

BOUM ! Le capitaine Séparatiste et les droïdes qui l'entourent sont pulvérisés par l'explosion ! Le hurlement d'un moteur couvre les cris d'alerte des droïdes paniqués. C'est un vaisseau Jedi qui vient de passer au-dessus du palais. Il a des ailes en forme de lames de couteau et un unique cockpit arrondi sur le dessus. Aucun doute ! C'est Obi-Wan ! Il se pose et bondit vers les droïdes qu'il attaque avec son sabre-laser. Son astropilote, R4-P17 le rejoint.

Une nuée de vaisseaux de la République fond désormais sur les rebelles. Obi-Wan est partout. Il utilise la Force pour se débarrasser d'un droïde puis distribue les coups de sabre dans la foule de robots avec une précision extraordinaire.

Le commandant Cody arrive lui aussi, et Rex peut souffler. Le capitaine des clones rejoint Obi-Wan, et ils luttent ensemble contre les droïdes.

— Où est Anakin ? demande Obi-Wan.

— Dans le meilleur des cas, je pense qu'il est toujours dans le palais, Maître Kenobi.

— Occupe-toi des droïdes alors, je pars le chercher.

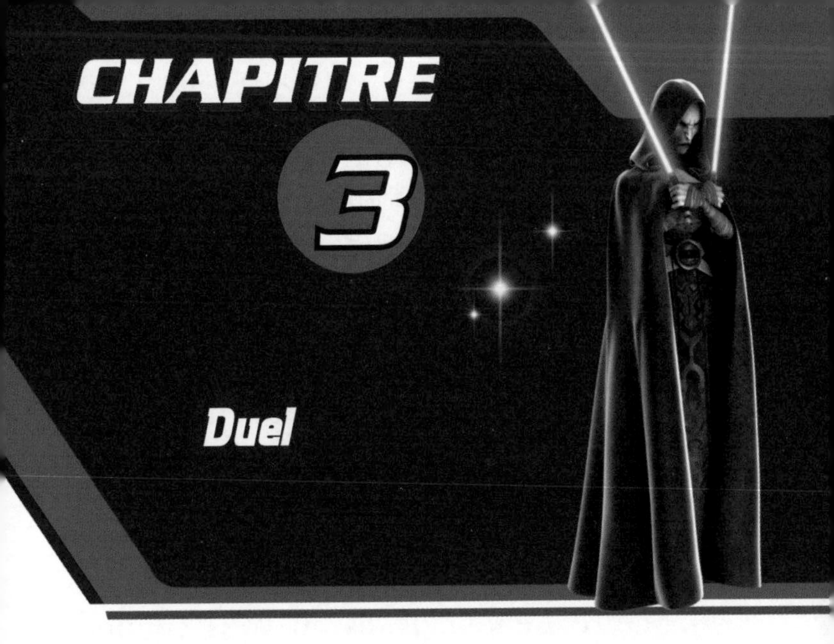

CHAPITRE 3

Duel

À l'intérieur du palais, Ventress parle au Comte Dooku, entourée de droïdes de combat.

— Est-ce que vous avez récupéré le fils de Jabba ? demande Dooku.

Le visage de Ventress se crispe.

— Skywalker est toujours en possession du Hutt, et il m'a vaincue pour l'instant. Mais il ne s'échappera pas vivant de cette planète.

— Ai-je besoin de vous rappeler que celui qui aura le soutien de Jabba pourra contrôler la guerre sur la bordure extérieure ? dit sèchement le Comte Dooku. C'est nous qui devons lui ramener son fils vivant.

— Je comprends, Maître. Je vais redoubler d'efforts.

— J'espère pour vous, répond-t-il avant que l'hologramme ne disparaisse.

Ventress est particulièrement en colère, et lorsqu'elle se retourne, elle tombe nez-à-nez avec un Jedi barbu planté devant la porte. Elle active ses sabres-laser.

— Maître Kenobi. Je lis en vous comme dans un livre ! Si vous êtes dans les parages, Skywalker doit y être aussi! dit-elle.

Obi-Wan se fige en la voyant. Il l'a déjà rencontrée avant, mais elle l'a toujours impressionnée par sa maîtrise des pouvoirs de la Force Obscure, bien qu'elle n'ait jamais été entraînée comme une Sith.

— Anakin fait constamment des bêtises, qui me mènent toujours à vous, malheureusement, répond-t-il.

— Attrapez-le ! ordonne Ventress à ses

supers droïdes de combat, pendant qu'elle cherche à s'enfuir par une sortie cachée. Anakin est un puissant Jedi, mais elle a bien conscience qu'Obi-Wan est encore plus dangereux.

Obi-Wan ne fait qu'une bouchée du leader des droïdes, à qui il tranche la tête dans un bruit de métal et de sabre-laser. Il se lance à la poursuite de Ventress et s'engouffre dans une pièce sombre remplie de colonnes de pierre. Il doit redoubler de prudence, car Ventress pourrait se cacher derrière l'une d'entre elles.

— Ventress, je sais que vous êtes là, crie-t-il. Vous ne vous cacherez pas éternellement, et je peux presque sentir votre frustration. Laissez-moi deviner : vous chercher aussi le fils de Jabba, c'est ça ?

— Exact ! hurle Ventress en jaillissant de l'ombre avec son double sabre.

Obi-Wan active in-extremis son sabre pour parer l'attaque de Ventress. Elle se dégage, et lui jette sa cape au visage. Obi-Wan bondit sur le côté pour esquiver.

— Il faudra faire mieux que ça pour me battre, ma chère, dit-il en la provoquant.

Folle de rage, elle se jette sur Obi-Wan. Comme un ouragan, elle tourne autour de lui, et Obi-Wan lutte pour rester face à elle. Elle lui donne un coup fulgurant sur le poignet. Il lâche son sabre sous le choc.

— Là, je dois dire que je suis impressionné, se moque Obi-Wan.

— Vous allez mourir, Jedi ! hurle-t-elle en se précipitant sur lui.

Anakin et Ahsoka grimpent à bord du *Twilight* avec R2-D2. À l'intérieur, c'est un véritable labyrinthe de boutons et de câbles qui sortent de partout. La jeune fille s'assoit dans le siège du copilote avec Rotta, pendant qu'Anakin cherche les commandes de mise à feu.

— Allez, maintenant, on ramène le vers de terre chez lui, dit-il en se voulant rassurant. Enfin, si on y arrive !

Ahsoka l'observe et se demande comment il peut rester aussi calme dans une situation pareille.

— R2, nous sommes prêts. Tu peux lancer l'ordinateur de bord, dit Anakin au petit droïde.

— Je ne suis pas sûre qu'on arrive sur Tatooine à temps, Maître, continue Ahsoka alors que Rotta tousse toujours aussi fort. Il faut faire quelque chose pour le soulager.

— Va voir si tu trouves une trousse de secours à l'arrière du vaisseau.

— O.K. ! répond-t-elle en sortant rapidement du cockpit.

Rotta continue à gémir en regardant Anakin d'un air triste.

— Ne me lâche pas maintenant, petite chose. On est presque arrivé, dit le Jedi.

R2-D2 signale que le vaisseau est prêt à partir.

— Si tu as bien verrouillé les coordonnées, on y va.

Ça y est, ils ont enfin décollé ! Le *Twilight* passe aussitôt en mode hyperespace : direction Tatooine !

CHAPITRE 4

Première victoire ?

Sur la planète Teth, le terrible combat entre Ventress et Obi-Wan n'est toujours pas terminé. Les deux adversaires semblent de force égale. Ventress attaque Obi-Wan avec ses deux sabres, mais il lui bloque les mains avant qu'elle ne l'atteigne, et leurs visages se touchent presque.

— Interéssant ! la provoque Obi-Wan.

Ventress se dégage de la prise du Jedi, mais celui-ci la projette sur une des énormes colonnes de pierre grâce à la Force. Il en profite pour rattraper son sabre, et fait un grand sourire en la voyant se relever et se tourner face à lui avec des yeux exorbités.

— Pourrait-on continuer ce duel ? demande Obi-Wan.

— Bien entendu, gronde-t-elle d'un air féroce.

Elle fonce vers lui et l'attaque mais le Jedi l'arrête net encore une fois, et décide de prendre l'offensive. Il l'oblige à reculer en enchaînant les coups de sabre qu'elle repousse avec dextérité.

On dirait que la balle change de camp, pense Obi-Wan, avant de bondir sur le dessus d'une des colonnes, vite rattrapé par son adversaire.

— Nous sommes au courant du projet de Dooku : le Comte veut retourner les Hutt contre nous, commence le Jedi. Et je peux vous assurer que ça n'arrivera pas.

— Vous vous trompez, Maître Kenobi. Car

la vérité périra en même temps que vous, répond Ventress, avant de se jeter sur lui.

Elle tente de le frapper avec ses deux sabres, mais il recule en sautant sur la rangée de colonnes jusqu'à ce qu'il atteigne une fenêtre. Dans un ultime saut, il se hisse sur le rebord.

— Vous ne pouvez pas m'échapper ! hurle Ventress.

Obi-Wan se tient en équilibre sur un mur lorsqu'elle le rejoint. Il lui assène un coup de sabre, mais elle le bloque facilement, et s'accroupit, prête à frapper.

Son regard est soudain attiré vers le ciel, et Obi-Wan ressent une perturbation dans la Force. Il sourit d'un air entendu.

— Moi aussi, je l'ai senti. Anakin est parti, votre mission a échoué, Ventress, dit-il.

Et il bondit vers elle sans lui laisser le temps de réagir, frappant sur un de ses sabres d'un geste précis.

— Votre Maître ne va pas être content, je suppose, continue Obi-Wan.

Obi-Wan a raison, car même une guerrière comme Ventress ne voudrait pas subir la colère de Dooku. Elle appuie sur un bouton à son poignet en fixant le Jedi.

— Vous, les Jedi, je vous hais ! lâche-t-elle, furieuse.

— Le petit Hutt est en sécurité. Il n'y a aucune raison de continuer ce combat, continue-t-il calmement. Nous avons gagné. Posez-donc vos armes.

Un chasseur Vautour apparaît soudain hors des nuages, et arrive à grande vitesse vers Ventress, qui s'élance et l'attrape en vol lorsqu'il passe à sa portée.

Le vaisseau s'éloigne rapidement, sous le regard inquiet d'Obi-Wan. Le Hutt est avec Anakin, mais il aurait préféré que Ventress soit hors d'état de nuire.

Le *Twilight* fonce à travers l'hyperespace, et malgré les inquiétudes d'Anakin, le vieux vaisseau est plutôt stable pour son âge. Il résiste bien aux vibrations du voyage à grande vitesse.

Rotta est endormi sur un fauteuil et ronfle bruyamment. Il est réveillé par un bruit, et ouvre les yeux en souriant.

— Maître, je crois que les médicaments lui ont fait du bien ! s'écrie la jeune fille en observant le bébé. Sa fièvre est tombée. Je crois qu'il va nous empester encore longtemps !

Pendant ce temps, R2 et Anakin réparent une pièce du vaisseau.

— Super ! répond le Jedi. Tu vois, ça n'a pas été aussi facile que ça de le garder en bonne santé !

— Maître, s'il y a une chose que j'ai bien retenue de vous, c'est que rien ne se passe comme on le souhaite lorsque vous êtes dans les parages ! répond-t-elle en riant aux éclats.

Elle s'arrête net en voyant le regard noir d'Anakin.

— Vous pensez que Rex et Obi-Wan s'en

sont sortis ? reprend-elle plus sérieusement.

— Je connais mon vieux Maître sur le bout des doigts. Il contrôle parfaitement la situation, explique Anakin. Tiens, aide-moi un peu. Je veux que les systèmes principaux soient réparés d'ici à ce qu'on arrive sur Tatooine.

— Maître, vous avez grandi sur cette planète, n'est-ce pas ? Ce voyage, c'est un peu comme si vous rentriez à la maison, non ?

Le visage d'Anakin se fige. Tout un flot d'images et de souvenirs ressurgissent en lui, mais il les chasse très vite. Il n'est pas vraiment inquiet de revenir sur Tatooine. Après tout, Rotta est sain et sauf. Tout ce qu'il reste à faire, c'est se poser, rendre le petit à Jabba et repartir le plus vite possible.

CHAPITRE 5

Double jeu

Mais ça, c'est le plan d'Anakin, pas celui de Ventress. Sa mission a échoué, mais elle n'a pas décidé de baisser les bras pour autant. Elle revient au palais sur la planète Teth, et contacte le Comte Dooku en hologramme. Celui-ci est en compagnie de Jabba dans la salle du trône.

— La République possède bien trop de clones, Seigneur, commence-t-elle en baissant les yeux. Skywalker avait déjà assassiné le fils de Jabba avant même que nous ne l'ayons retrouvé.

Jabba lâche un hurlement terrifiant en entendant Ventress.

— C'est très regrettable, dit doucement le Comte Dooku. Les événements prennent un tour assez inattendu. Mais j'espère au moins que vous avez abattu ce Jedi ?

— Non, Maître. Il a réussi à s'enfuir et se dirige actuellement vers Tatooine.

Mais Dooku n'est pas dupe des mensonges de son élève. Il serre la mâchoire. Ventress a échoué, et maintenant, Skywalker est en route avec le petit de Jabba, bien vivant.

— Je suis persuadé que vous avez fait tout ce qui était en votre pouvoir. Nous discuterons de votre échec plus tard, répond Dooku.

— Oui, mon Maître, dit Ventress en s'inclinant avec respect, avant que son hologramme ne disparaisse.

— AH ! YAPOTA JEDI AMA TATOOINE ? demande Jabba.

— Son altesse demande pourquoi le Jedi viendrait sur Tatooine puisque c'est lui qui a tué son fils, traduit le TC-70.

— Mais pour vous tuer, vous, répond Dooku. Le complot des Jedi est clair à présent. Ils vous ont promis de ramener votre fils dans le seul but de gagner votre confiance. Et voilà que Skywalker arrive pour mettre un terme à sa mission, et exterminer tous les Hutt de la galaxie.

— JEDI SLEEMO !

— Si vous me le permettez, puissant Jabba, je m'occuperais personnellement de Skywalker cette fois-ci, suggère le Comte Dooku.

Une armada de Gardes Magna apparaît derrière Dooku. Les yeux rouges de ces droïdes contrastent avec la couleur pâle de leurs têtes. Chacun d'entre eux est équipé d'une grande barre de métal dont les extrémités sont chargées d'électricité.

Jabba hoche la tête d'un air satisfait. Skywalker aura la fin qu'il mérite depuis longtemps.

Dooku s'incline devant le Hutt, puis tourne les talons, et s'autorise enfin à sourire. D'un sourire diabolique...

Son plan est simple. Ventress a peut-être échoué, mais lui n'a pas encore décidé d'en finir. Il va intercepter Skywalker, tuer le jeune Hutt, et abattre ce Jedi une bonne fois pour toutes !

CHAPITRE 6

À bord du Twilight

Le *Twilight* sort de l'hyperespace retrouve enfin une vitesse de croisière normale. En-dessous d'eux, la planète Tatooine brille de son éclat orange si particulier. Anakin et R2-D2 sont en train de réparer un des ordinateurs de bord afin que le vaisseau puisse se poser sans problème.

Ahsoka est assise dans le siège du copilote et regarde pensivement la planète. Elle se dit qu'Anakin a déjà parcouru beaucoup d'endroits dans la galaxie, mais que pour elle, tout ne fait que commencer. Elle n'est qu'au début de sa vie de Jedi, et elle est fascinée par tout ce qu'elle apprend.

— Bienvenue à la maison, Sky-truc ! Je parie que vous êtes fou de joie de revenir sur Tatooine ! dit-elle.

— J'aurais tellement voulu ne jamais remettre les pieds sur cette vieille boule de poussière, répond Anakin qui ne partage pas l'enthousiasme de sa padawan.

— Hum... Qu'est-ce qui s'est passé lorsque vous y viviez ?

— Je n'ai pas envie d'en parler maintenant, dit sèchement Anakin. Comment va le petit ver de terre ?

Rotta est endormi, et il respire normalement. Sa peau a retrouvé une couleur normale et sa fièvre est complètement tombée.

— Il va beaucoup mieux, répond Ahsoka. Il n'est plus malade, et vous êtes bien obligé d'admettre qu'il est mignon quand il dort.

— Je reconnais que je préfère quand il est comme ça. Enfin, plus ou moins ! dit Anakin en souriant, avant de se tourner vers le panneau de contrôle.

Il reste le problème de l'atterrissage, et Anakin sait parfaitement que ça sera difficile. Le *Twilight* est très endommagé à l'arrière, ce qui va poser de sérieux ennuis.

— Attache ta ceinture, Ahsoka, dit Anakin.

— Je n'aime pas beaucoup quand vous prenez cet air inquiet, Maître.

— Moi ? J'ai l'air inquiet ?

— Oui, ça se voit, assure Ahsoka.

— Bon, assez plaisanté. Maître Obi-Wan vous m'entendez ? Si oui, rejoignez-nous ! dit Anakin dans son émetteur.

— Ici Obi-Wan Kenobi. Anakin, est-ce que tu as déjà atteint Tatooine ?

— Oui, Maître. Mais nous sommes à bord d'une espèce de vieux..., commence Anakin.

Il hésite à dire la vérité à Obi-Wan.

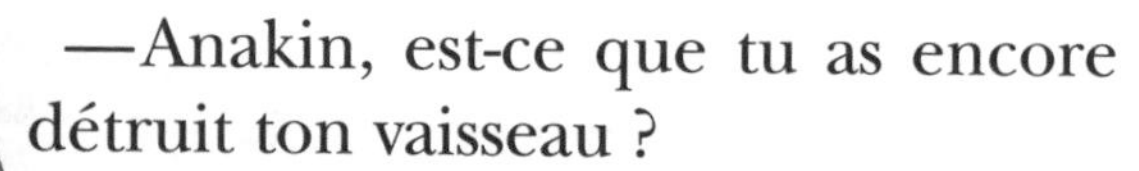

—Anakin, est-ce que tu as encore détruit ton vaisseau ?

— OUI ! répond Ahsoka à la place d'Anakin.

— Ce vaisseau est trop lent. Je n'ai pas encore eu le temps de le modifier, dit le jeune Jedi en fusillant Ahsoka du regard.

— Il faut toujours que tu fasses n'importe quoi… Bon je viens dès que possible, promet Obi-Wan.

— Oui. Comme devaient le faire les renforts…, continue Anakin à voix basse.

Le *Twilight* fonce vers la planète et transperce l'atmosphère, et se met à vibrer de partout alors que la surface désertique de Tatooine se rapproche.

— Accrochez-vous, l'atterrissage risque d'être un peu brutal, prévient Anakin.

— En général, les atterrissages se font en douceur. Ce sont les crashs qui sont « brutaux », remarque Ahsoka.

— Dans ce cas, considère que c'est un atterrissage d'urgence ! rétorque Anakin.

Le *Twilight* continue sa descente vertigineuse et la carlingue toute entière s'enflamme au contact de l'atmosphère. Le vaisseau touche terre dans un grand fracas et glisse sur le sable à toute allure ! Ahsoka retient Rotta aussi fort qu'elle peut. Elle aperçoit par le hublo des petites créatures volantes habillées de grands vêtements à capuches, pendant que le vaisseau soulève des nuages de sable gigantesques !

Après quelques instants, le *Twilight* ralentit et finit par s'arrêter dans une dune de sable.

Ils ont finalement réussi à se poser sur Tatooine. Pour le meilleur ou pour le pire…

CHAPITRE 7

Ziro le Hutt

De retour sur Coruscant, Yoda est en pleine réunion avec le Chancelier Palpatine. Ils sont assis dans le bureau du leader du Sénat, et communiquent avec le Général Obi-Wan en hologramme.

— Anakin est arrivé sur Tatooine avec le petit Hutt, Maître, commence Obi-Wan. Mais il est toujours en grand danger, car les forces Séparatistes ne veulent pas le laisser s'échapper. Je pense que ce complot est l'œuvre de

Dooku, afin de faire croire à Jabba que c'est nous qui avons kidnappé son fils.

— Ruinées sont nos chances de conclure un traité, si les Hutts à ce mensonge, ont cru, dit gravement Yoda. Aux Séparatistes et à Dooku, Jabba va s'allier. Sans aucun doute.

— Ce serait un véritable désastre, répond le Chancelier. Nous devons obtenir cette alliance avec les Hutts si nous voulons espérer remporter la victoire sur la bordure extérieure.

Palpatine a fière allure dans son uniforme de Chancelier, et ses cheveux blancs ne font que renforcer son charisme.

— Dans le jeune Skywalker, les derniers espoirs de la République résident. Rendre à Jabba son fils, il faut.

— Anakin connaît bien les Hutts. Il va y arriver, répond Obi-Wan, confiant.

L'hologramme s'éteint petit à petit au moment où Padmé Amidala fait son apparition dans le bureau du Chancelier. L'ancienne reine de Naboo est désormais une sénatrice galactique respectée. Elle porte une belle robe violette et un collier vert, une tenue parfaitement adaptée pour un représentant du Sénat. Ses cheveux bruns sont enroulés sur sa tête et elle porte un diadème en argent sur le sommet du front.

Palpatine l'aperçoit, et lui sourit. La Sénatrice Amidala est une alliée de longue date, et c'est d'ailleurs grâce à elle que Palpatine a pris les fonctions de Chancelier.

— Pardonnez-moi, Maître Yoda. Je dois m'en retourner aux affaires passionnantes de la politique, dit Palpatine.

Yoda saute de son siège, et hoche la tête devant Padmé en signe de salutation.

— Maître Yoda, quel bonheur de vous revoir, dit la Sénatrice d'un ton chaleureux.

— Pour moi, tout le plaisir est, Sénatrice.

Padmé s'incline avec respect, avant que Yoda ne sorte du bureau. Elle se tourne vers Palpatine.

— Ah, Padmé ! nous étions en train de discuter de…

— Des nouvelles mesures de sécurité que vous faites appliquer sur Naboo, l'interrompt-elle d'un air inquiet. Mon responsable de la sécurité m'informe que les combats ont repris sur la bordure extérieure

— Oui, et cela inclut quelques petites chamailleries avec Anakin Skywalker et Obi-Wan Kenobi, répond le Chancelier.

Le cœur de Padmé fait soudain un bond.

— Anakin ! Il est en danger ?

Palpatine se penche au-dessus de son bureau, et regarde la jeune Sénatrice comme si il allait lui révéler une information capitale.

— J'ai bien peur que les efforts des Jedi pour conclure un traité secret avec les Hutts ne soit un terrible échec. Jabba est persuadé que c'est Anakin qui a tué son fils, murmure-t-il.

— Un Jedi ne ferait jamais une telle chose !

s'écrie Padmé. Je pourrais peut-être m'occuper de ce traité. Je vais rendre visite aux Hutts, et les convaincre de l'innocence d'Anakin... en tant que représentante du Sénat, bien entendu.

— C'est très courageux de votre part, Sénatrice. Mais bien trop dangereux, avertit Palpatine. De plus, nous avons essayé de contacter Jabba, et il se refuse à toute communication avec nous.

— Jabba le Hutt a un oncle qui vit dans le centre-ville de Coruscant. Je réussirai à le persuader de parler à Jabba dans l'espoir de rouvrir les négociations.

— S'il-vous-plaît, ma chère. Je vous en prie, réfléchissez bien à ce que vous dites.

— Ne vous en faites pas pour moi, Chancelier. J'ai eu affaire à bien plus coriace que les Hutts, répond Padmé en tournant les talons.

— Prenez soin de vous, Sénatrice. Les Hutts sont de véritables criminels, prévient une dernière fois Palpatine.

Padmé est déjà partie. Elle descend quatre à quatre les marches du Sénat. *Comment les Hutts osent-il accuser Anakin ? Il ne kidnapperait jamais un bébé ! Je dois rester calme, et ne pas révéler mes sentiments,* se dit-elle.

Padmé et Anakin sont amoureux, mais la situation est très compliquée. En tant que Sénatrice, Padmé est censée se marier avec quelqu'un de son rang, et Anakin, lui, est un Jedi. Il n’a pas le droit de se marier du tout !

Pourtant, ils sont passés outre les obligations et se sont mariés en cachette il y a plusieurs mois déjà et Padmé souffre à chaque nouvelle bataille que doit livrer Anakin dans la galaxie.

Et voilà qu’elle apprend qu’il est en danger ! Elle ne peut pas à rester à Coruscant sans rien faire.

Palpatine a raison, les Hutts sont très dangereux. Padmé rejoint ses appartements et choisit une tenue plus adaptée à une éventuelle course-poursuite. Elle troque sa robe de Sénatrice contre une grande cape blanche à capuche qu’elle porte par-dessus une combinaison blanche elle aussi.

Elle prend une navette pour se rendre au palais Hutt situé dans les rues du vieux centre-ville de Coruscant.

Contrairement au palais en pierre massif de Jabba sur Tatooine, le palais de Ziro le Hutt est superbement décoré, aussi bien à l'extérieur qu'à l'intérieur.

Padmé est accueillie et conduite vers Ziro par deux droïdes sentinelle. Ils sont plus imposants que de simples droïdes de combat, et leurs yeux rouges brillants leur donnent une allure encore plus effrayante.

La salle du trône est éclairée par de petites lumières de différentes couleurs encastrées dans le sol, et Ziro le Hutt est assis avec nonchalance sur une petite estrade située au centre de la pièce. Des petits spots de lumière éclairent directement le corps de Ziro. Il est encore plus gros et gras que Jabba, et ses yeux jaunes semblent enfoncés très profondément entre les rides de son visage.

— Majesté, vous avez une visite de la plus haute importance, annonce un des droïdes.

— Enchantée, Ziro. Je suis la Sénatrice Amidala du Sénat Galactique, dit Padmé en rejetant sa capuche en arrière.

— Une Sénatrice ? Dans ce quartier ? s'interroge Ziro d'une voix qui n'a rien de celle d'un Hutt.

Ziro préfère s'exprimer dans la langue de la République, contrairement à Jabba.

— Je sais que vous êtes l'oncle de Jabba le Hutt de Tatooine, et je viens vous demander une faveur, commence Padmé. Il se trouve qu'il y a eu une grave mésentente entre Jabba et l'Ordre des Jedi.

— Et comment pourrais-je vous être utile, Sénatrice ? demande Ziro, assez intrigué.

— Et bien, je suis venue dans l'espoir que vous interveniez dans ce conflit et que vous relanciez les négociations concernant le traité entre la République et le grand peuple des Hutts, explique Padmé.

Ziro entre soudain dans une grande colère.

— Un traité ! Un traité ! Il n'est pas question de traité ! Le fils de mon neveu Jabba a été kidnappé par vos imbéciles de Jedi ! hurle-t-il.

— Mais monsieur, il y a eu un malentendu, tente Padmé.

— Il n'y a pas de malentendu !

Padmé sent monter la colère en elle.

— Ce sont les Jedi qui ont sauvé son fils ! Si vous pouviez me mettre en communication avec Jabba, je suis certaine que je pourrais lui expliquer la vérité.

— Non ! Fin de la discussion ! Gardes ! Emmenez-la dehors !

L'entêtement de Ziro laisse Padmé sans voix, mais elle décide de changer de tactique.

— S'il-vous-plaît, Ziro ! Votre neveu est vraiment en danger ! Vous allez le regretter !

— J'ai dit : jettez-la dehors ! hurle le Hutt.

Une sentinelle se plante devant Padmé, et la menace avec son arme. Le droïde la force à quitter la salle du trône, et elle pense que la situation est désespérée lorsqu'ils entrent ensemble dans l'ascenseur. Elle a échoué, et tant que Jabba croira que c'est Anakin qui a tué son fils, il sera en grand danger.

Non, elle n'arrive décidément pas à se faire à cette terrible idée.

Padmé s'écarte vivement du droïde et lui envoie un coup de pied dans la main. Le robot lâche son arme, alors que la Sénatrice se jette hors de l'ascenseur avant que les portes ne se referment. Puis elle se dirige calmement vers la salle du trône, déterminée à ne pas lâcher Ziro… tant que celui-ci n'aura pas accepté de l'aider à contacter Jabba. Et cette fois, un refus n'est pas envisageable.

CHAPITRE 9

Complot

Padmé s'approche de la salle du trône, et se tapis dans l'ombre. Elle aperçoit Ziro en plein entretien avec l'hologramme du Comte Dooku. Le Hutt semble nerveux et agité.

— Votre petit complot est en train de tomber à l'eau, Dooku ! Je viens de recevoir une Sénatrice de la République! Que se passera-t-il si elle découvre que je vous ai aidé à kidnapper le fils de Jabba ? demande Ziro.

— Ne vous inquiétez pas pour ça, répond

calmement le Comte. J'ai réussi à persuader Jabba que les Jedi ont tué son fils, et qu'ils arrivent sur Tatooine pour le tuer aussi.

— Mais Jabba va découper ces Jedi en morceaux ! proteste Ziro.

— Dans ce cas, le puissant Ordre des Jedi se verra dans l'obligation de traduire Jabba en justice. Et alors, vous, mon ami, vous aurez la responsabilité de tout le peuple Hutt, explique Dooku.

Ziro se calme radicalement en entendant le Comte.

— Donc mon complot contre mon neveu Jabba est bel et bien un succès. Mais... que fait-on de cette fouineuse de Sénatrice ?

— Si elle continue son travail de détective, débrouillez-vous pour qu'elle ait un accident, suggère Dooku. De toute façon, j'ai quelques relations au Sénat qui pourront nous couvrir pour cette affaire.

Padmé a tout entendu, et elle réalise soudain quel genre de piège on lui a tendu. Elle veut s'enfuir, mais elle se retrouve nez-à-nez avec deux sentinelles droïdes d'assez mauvaise humeur !

Elle s'empare de son arme et tire aussitôt sur un des droïdes, mais l'autre robot lui saisit le poignet tellement fort qu'il arrive rapidement à l'immobiliser. Une fois neutralisée, il l'emmène dans la salle du trône et la laisse tomber aux pieds de Ziro.

— Dooku, dit Padmé en lançant un regard noir vers l'hologramme du Comte. Ainsi, l'ignoble traître montre une fois de plus son affreux visage.

— Je suis également enchanté de vous revoir, Sénatrice… Amidala, n'est-ce pas ? dit Dooku en s'inclinant.

— J'allais justement partir, dit Padmé.

— Je m'excuse, mais c'est impossible, dit le Comte d'une voix glaciale. Ziro, cette Sénatrice est extrêmement importante pour mes alliés Séparatistes. Ils vous paieront une fortune pour la récupérer.

— Ah, voilà une bonne nouvelle ! s'exclame le Hutt en souriant méchamment. Emmenez-la dans le donjon !

— Vous allez le regretter, Ziro ! crie Padmé.

— Non, je crois plutôt que ça va me rendre riche ! répond-t-il en riant. Merci, Comte Dooku. Cette alliance aura été très rentable pour moi.

— Je vous contacte dès que je me serai occupé du petit Hutt, votre Grandeur et Seigneur des Hutts.

CHAPITRE 10

Le plan

Ahsoka ouvre la porte du *Twilight*, et sort du vaisseau en ruine avec Rotta dans ses bras. Devant ses yeux, une étendue désertique à perte de vue interrompue à quelques endroits par des dunes de sable.

— Bienvenue chez toi, vers de terre, dit-elle.

Anakin arrive à son tour, et attache fermement le sac à dos où il remet le petit Hutt.

— Le palais de Jabba est sur la rive lointaine de la mer de sable, commence-t-il. On ferait mieux de se dépêcher si on veut y être avant midi.

Rotta gazouille joyeusement, il semble content d'être rentré, alors qu'Ahsoka, elle, fronce les sourcils.

Pourquoi on n'a pas atterri du bon côté de la mer de sable ? se demande-t-elle.

R2-D2 est resté sur la passerelle du vaisseau et hésite à s'aventurer dans le sable.

— Allez, mon R2, ce sont juste des petits grains de sable abrasifs ! Je nettoierai tes connections plus tard, c'est promis ! lui dit Ahsoka.

Finalement le petit droïde se décide à les rejoindre.

Les deux soleils de Tatooine se couchent petit à petit derrière eux, et Ahsoka doit accélérer le pas pour suivre Anakin. Le voyage va être long, et le jeune Jedi n'a pas encore dit un mot depuis leur arrivée. Ahsoka se demande bien ce qui a pu arriver durant l'enfance de son Maître sur cette planète.

Elle rattrape Anakin et tente sa chance.

— Maître Yoda a un proverbe. Il dit que « les vieux pêchés ont de grandes ombres ». Vous y comprenez quelque chose, vous ?

— Ça veut dire que ton passé peut détruire ton avenir, si tu le laisses faire, répond Anakin. Mais tu oublies que Maître Skywalker a aussi son dicton. Rappelle-toi : « Je ne veux pas en parler ».

— D'accord, très bien. Après tout, il y a tellement d'autres choses dont on peut parler ici. Tenez, si on parlait du désert ?

— Le désert est sans pitié, répond sèchement Anakin. Il te prend tout.

Ahsoka le regarde d'un air de compassion. Quoiqu'il lui soit arrivé ici, ça doit être quelque chose d'horrible.

— C'est une belle expression, dit Ahsoka en essayant de paraître joyeuse. Mais le désert ne nous prendra pas, nous. N'est-ce pas, R2 ?

— Bip ! Bip !

Ils continuent à marcher en silence, pendant qu'Ahsoka cherche un sujet de conversation qui ne rappellerait pas de mauvais souvenirs à Anakin. Pourquoi pas la couleur préférée de Maître Yoda ? Non, ça n'ira pas. Ce début de journée n'est pas trop fatiguant, mais très ennuyeux !

Soudain, Anakin s'arrête de marcher. Il vient de sentir quelque chose. Ahsoka l'a senti aussi.

— Nous ne sommes pas seuls ici, dit-elle, alors qu'elle ressent une perturbation dans la Force, qui la met mal à l'aise.

— Oui, je ressens le côté Obscur de la Force, répond Anakin.

Rotta laisse échapper un petit cri et rentre la tête dans le sac à dos.

— Qui que ce soit, c'est pour Rotta qu'il est là, dit Anakin. Il est temps de nous séparer, Ahsoka.

— On va affronter ça ensemble, Maître.

— Non, pas cette fois, petite. J'ai une mission bien plus importante pour toi.

— Plus importante que de veiller sur vous ? lui demande la jeune fille.

— Ahsoka, je veux que tu me fasses confiance au moins une fois, déclare fermement Anakin. Maintenant, voilà mon plan…

De retour au palais de Ziro le Hutt, le droïde confisquent l'arme de Padmé et son holoprojecteur, et l'enferme dans une cellule du donjon. La porte est solidement verrouillée et le droïde se met en poste juste devant, armé jusqu'aux dents et accompagné de quatre droïdes de combat venus en renfort. Padmé leur jette un regard de défi depuis l'intérieur de sa cellule.

L'holoprojecteur de Padmé se met à grésiller à côté du droïde sentinelle, signe que quelqu'un tente de la contacter. Une lueur d'espoir se forme dans l'esprit de la Sénatrice.

— Qu'est-ce que c'est que ça ? demande un des droïdes de combat, qui n'a jamais vu de projecteur holographique.

— Ne touchez pas à ça ! ordonne Padmé. Quoique vous fassiez, éloignez-vous. Je vous en prie !

Un des robots mord à l'hameçon, comme l'espérait Padmé.

— Ça pourrait être dangereux. Je ferais mieux d'analyser ce truc, dit le droïde en se penchant pour ramasser le projecteur. Il l'active sans faire exprès, et une image de C3PO apparaît. Le droïde de protocole de Padmé secoue la tête nerveusement.

— Ah, ça y est, vous répondez enfin ! Je suis tellement inquiet, s'écrie C3PO, avant de remarquer le droïde de combat qui le regarde fixement. Mais, attendez ! Qui êtes-vous ? Vous n'êtes pas Maîtresse Padmé !

— C3PO, à l'aide ! J'ai été capturée par

Ziro le Hutt ! hurle Padmé depuis sa cellule.

— Vous êtes en danger ! Je le savais ! s'affole C3PO. Attendez, Attendez un peu... !

La sentinelle arrache le projecteur holographique des mains du droïde de combat et l'écrase sous son pied. Padmé recule vers le fond de sa cellule.

Elle n'est pas sûre que C3PO ait bien entendu, mais elle veut garder espoir, car elle sent qu'elle n'a plus beaucoup de temps.

CHAPITRE 11

Souvenirs

Anakin continue sa progression dans le désert de Tatooine tout seul, avec Rotta dans son sac à dos. Il lève la tête d'un coup et aperçoit une silhouette masquée par une capuche approcher à toute vitesse sur un speeder. Pas de doute, c'est le Comte Dooku !

Il arrête son véhicule et marche lentement vers le jeune Jedi, sa cape flottant avec le vent. Anakin active son sabre-laser et se met en position de défense.

— Rendez-moi le Hutt, Skywalker, ou bien vous mourrez, le menace Dooku.

Il tend la main vers Anakin et des éclairs d'énergie bleus jaillissent du bout de ses doigts en illuminant le désert. Anakin tient fermement son sabre et absorbe le flot d'énergie envoyé par le Seigneur Sith.

Dooku s'empare de son propre sabre-laser et attaque Anakin en le forçant à reculer.

— Tu as beaucoup progressé, mon garçon, dit le Comte, tandis que le jeune Jedi contre-attaque.

Mais pour l'instant, Dooku maîtrise sans peine les assauts d'Anakin.

— Au fait, je me souviens, maintenant, dit le Comte. C'est ta planète natale, n'est-ce pas ? Je peux sentir tes émotions. Beaucoup de douleurs, de pertes.

Dooku essaye de le faire mordre à l'hameçon, Anakin le sait parfaitement. Il doit à tout prix rester concentré et ne pas se laisser piéger. Il lève la main et projette sur Dooku une tornade de sable qui l'encercle et le renverse.

Mais le Comte se relève aussitôt et retourne la tornade de sable contre Anakin, qui tombe et perd son sabre.

Dooku veut saisir l'occasion et en finir. Il fonce sur le Jedi en faisant tourner son sabre, mais Anakin parvient in extremis à le contrer juste après avoir récupéré son arme. Dooku se dégage et tranche le sac à dos d'Anakin en deux, avec un sourire triomphal.

— Vous avez perdu, Jedi ! s'exclame-t-il. Je viens de tuer le fils de Jabba !

— Vous me décevez, Comte Dooku. Vous venez juste de tomber dans mon piège, répond Anakin.

Il prend le sac à dos, le secoue, et des morceaux de pierre tombent sur le sable brûlant.

— Regardez, il n'y a que des cailloux dans

ce sac, dit Anakin. Le petit Hutt est en sécurité avec ma padawan, dans le palais de Jabba.

Le Comte Dooku ne semble pas très surpris.

— Je dois admettre que je m'attendais à une telle tricherie de la part d'un Jedi. Mais laissez-moi vous dire que mon réseau d'influence est très étendu, et que je ne tarderai pas à mettre la main sur votre insignifiante padawan.

— Vous devriez vous méfier d'elle, Comte, répond Anakin.

— Vous me décevez tellement, Skywalker ! crie Dooku en se jettant à nouveau sur Anakin.

De l'autre côté de la mer de Sable, Ahsoka est grimpée sur une dune géante, et observe les deux soleils qui se lèvent au-dessus du palais de Jabba. Rotta continue de brailler joyeusement dans son sac à dos, et R2-D2 ferme la marche. La jeune fille sourit : elle a presque atteint son but !

Attention ! se dit-elle tout à coup, alors qu'elle ressent la Force Obscure. Elle active son sabre-laser, au moment même où trois Gardes Magna surgissent de sous le sable et bloque la route vers le palais !

Les trois droïdes allument leurs armes dont les extrémités se mettent à crépiter d'électricité mortelle, puis avancent vers Ahsoka !

CHAPITRE 12

Justice

Dans le désert, Anakin et le Comte Dooku se livrent à un combat sans merci et se rendent coup pour coup. Les sabres-laser qui s'entrechoquent créent des éclairs d'énergie dans le ciel encore sombre du petit matin.

Dooku s'arrête tout d'un coup et sors un holoprojecteur de sa cape.

— Regardez, Skywalker. J'ai un message de votre padawan, siffle-t-il.

Anakin frappe la main de Dooku et le

projecteur tombe dans le sable. On voit sur l'hologramme des images d'Ahsoka qui se bat contre trois Gardes Magna, avant qu'il ne s'éteigne.

— Une fois que mes droïdes auront tué le fils de Jabba, ils lui livreront votre padawan afin qu'il reçoive la punition qu'il mérite, dit Dooku en se félicitant de sa stratégie. Et je ne pense pas que Jabba soit très clément avec lui.

Anakin bondit vers le sommet de la dune en passant au-dessus de Dooku. Il pourrait le frapper en plein vol, mais ne fait pas le moindre mouvement. Une fois sur la dune, il saute sur le speeder de Dooku, et fonce dans le désert. Tant pis pour Dooku, le temps presse !

J'arrive Ahsoka ! se dit Anakin.

Ziro le Hutt est assis sur son trône, et ses yeux jaunes sont brillants de colère. Deux de ses droïdes sentinelle maintiennent Padmé devant lui, et quatre droïdes de combat du donjon montent la garde.

— Vous avez essayé d'appeler à l'aide, Sénatrice ! tonne Ziro. Je commence à penser qu'il est trop dangereux de vous garder en vie !

— Assassiner un membre du Sénat Galactique ici, sur Coruscant ? Avez-vous perdu la tête ? s'écrie Padmé alors que les droïdes pointent leurs armes sur elle.

— J'ai des amis très influents au Sénat, et je n'ai pas peur de…

BOUM ! Une forte explosion fait trembler tout le palais !

— Qu'est-ce que c'est que ça ? crie Ziro tandis que des dizaines de clones de la République débarquent dans la salle du trône. Détruisez-les !

Ziro commence à descendre difficilement de son trône, et les clones ouvrent le feu sur les droïdes du Hutt. Padmé profite de l'agitation pour envoyer un coup de pied dans l'arme de la sentinelle qui la surveille, et fonce vers Ziro.

— Stop ! Reste où tu es, Ziro ! crie-t-elle.

C3PO passe la tête par la porte de la salle du trône, et cours rejoindre la Sénatrice.

— Maîtresse Padmé ! Vous êtes blessée ? Suis-je arrivé trop tard ?

— C3PO, tu es arrivé juste à temps ! le félicite-t-elle.

— Oh ! Loué soit mon créateur ! Je suis tellement soulagé ! dit le droïde.

Le leader du groupe de clones, le commandant Fox, s'approche de Padmé.

— Doit-on arrêter le Hutt, Sénatrice ? demande-t-il, pendant que les clones encerclent Ziro.

Celui-ci agite désespérément ses petits bras pour s'expliquer.

— Je n'avais pas le choix ! Écoutez-moi, Dooku a menacé de me tuer si je ne l'aidais pas à kidnapper le fils de Jabba. Vous devez me croire ! Je l'aime, ce petit Hutt !

— Oh, mais nous vous croyons, Ziro, répond Padmé en souriant, satisfaite de voir ce criminel récolter ce qu'il mérite.

CHAPITRE 13

Le retour de Rotta

Sur Tatouine, les Gardes Magna attaquent Ahsoka à l'aide de leurs armes à charges électriques. Elle parvient à contrer quelques coups avec son sabre-laser, mais elle est rapidement dépassée par la force de ses assaillants. Elle se retranche sur le sommet de la dune derrière elle.

R2-D2 roule vers les droïdes et sort une petite scie pour les menacer. Cela n'a pas vraiment d'effet, mais c'est tout ce qu'il a en stock ! Un Garde Magna le pousse du pied et le fait tomber dans le sable.

Biiiiiiiiip !!!

— R2 ! crie Ahsoka. Bon, trois contre deux... Vers de terre, tu surveilles mes arrières !

Un autre Garde la rejoint sur la dune et l'attaque. Elle arrive à esquiver le coup mais l'arme du droïde est passée tellement près qu'elle sent une légère brûlure sur son bras. Ahsoka attaque à son tour, fait vaciller le Garde grâce à la violence de son coup, et en profite pour sauter sur une autre dune.

Elle ne pourra peut-être pas se débarrasser d'eux, mais en les prenant de vitesse, elle pourrait bien atteindre le palais de Jabba avant eux.

Les Gardes foncent à nouveau sur elle, et l'un d'eux vise le sac à dos où se trouve Rotta. Ahsoka bloque son attaque mais se fait surprendre par l'autre Garde, qui la touche au bras. Elle dévale la pente de sable, alors que Rotta avale quelques grains de sable qui le font tousser.

— Moi qui croyais que tu aimais jouer dans le sable, plaisante la jeune fille en se relevant.

Elle aperçoit déjà les Gardes Magna qui commencent à descendre la dune. Il faut réfléchir vite ! Elle se met à courir autour de la dune, et remonte par l'autre côté. Les droïdes sont descendus, et ne comprennent visiblement pas où la jeune fille a bien pu passer ! Parfait ! Elle prend son élan, et saute de la dune pour atterrir sur un des droïdes, qu'elle découpe en deux avec son sabre-laser !

Allez, plus que deux ! se dit-elle pour se donner du courage.

D'un air dédidé, elle fait face aux deux droïdes.

— Ok, bande de boîtes de conserve ! Je vais vous renvoyer chez Dooku en pièces détachées, maintenant !

Pendant ce temps, Anakin arrête le speeder devant le palais de Jabba, et se précipite vers la porte d'entrée, où plusieurs gardiens lui barrent la route. Ce sont des Nikto, de la planète Kintan. Ils fixent méchamment Anakin du haut de leurs longs visages ridés.

Le TC-70 de Jabba apparaît derrière la lourde porte.

— Qu'avez-vous fait de ma padawan ? demande Anakin sans perdre de temps.

— Par ici, je vous prie, dit le droïde. Déposez vos armes avant d'entrer.

Anakin donne à regret son sabre-laser aux gardes, qui l'escortent jusqu'à la salle du trône, où Jabba se prélasse. Un silence de mort s'abat sur la pièce lorsque le Jedi fait son entrée.

— Voici le Chevalier Jedi Anakin Skywalker, commence le TC-70. Et, comme l'avait prédit le Comte Dooku, votre fils n'est pas avec lui.

— Comment ? Rotta n'est pas ici ? Ça signifie qu'Ahsoka n'est pas encore arrivée, répond pensivement Anakin, alors que les Nikto le poussent vers Jabba.

— JEDI POODOO !

— Où est Ahsoka ? interroge le Jedi.

— NOBATA BARGON ! EECHUTA ROTTA ME PEEDUNKEE MUFIN WAJEEKEE ! crie Jabba en se penchant vers Anakin.

Le Jedi tend la main vers le TC-70, et attrape son sabre-laser à l'aide de la Force. Il l'active aussitôt et le tend vers la gorge de Jabba.

— Je répète : qu'est-ce que vous avez fait à ma padawan ? dit-il en contrôlant la colère qui monte en lui.

— AHH ! SKYWALKER KILLYE ! hurle le Hutt.

— Jabba dit que vous êtes venus ici pour le tuer, traduit le TC-70.

— Puissant Jabba, je suis venu vous voir

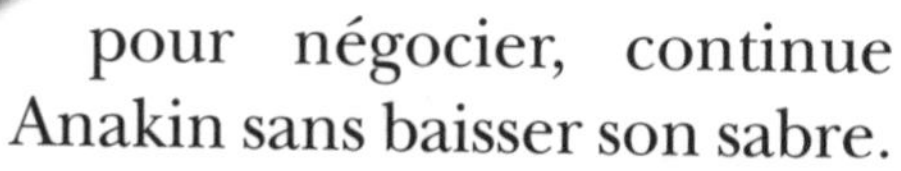

pour négocier, continue Anakin sans baisser son sabre.

— AAAGH ! OOCHUTA MAKA MEDI WAH ! tonne Jabba.

— Son altesse dit que vous êtes venus ici et que vous allez mourir.

Les gardes Nikto entourent Anakin et le menacent avec leurs armes. Il est piégé, car il ne pourra pas tous les abattre… mais il peut au moins essayer !

— Stop ! Arrêtez !

C'est la voix d'Ahsoka. La jeune fille entre dans la salle du trône, avec le petit Hutt dans son sac à dos. Elle est exténuée, et sa peau est couverte d'égratignures, mais ce n'est rien comparé à ce qu'elle a infligé aux Gardes Magna dans le désert !

— Cher Jabba, voici votre fils. Sain et sauf, annonce Anakin en éteignant son sabre-laser.

Le gros Hutt plisse les yeux d'un air suspicieux. Il n'arrive pas à voir la jeune fille, et ordonne aux gardes de se pousser pour la laisser passer.

— Dis-moi qu'il est vivant, Ahsoka ? murmure Anakin.

— Oui, et il sent toujours aussi mauvais, Maître.

Anakin lui sourit, fier d'elle, tandis qu'elle ouvre son sac à dos. Le petit Hutt est endormi confortablement, mais Jabba veut vérifier que son fils est bien vivant.

— ROTTA ME PEEDUNKEE ?

Le petit Hutt ouvre doucement les yeux. Il se met à gazouiller lorsqu'il voit son père, puis émet un rot surpuissant !

— PEEDUNKEE MUFKIN! s'écrie Jabba en regardant le petit Hutt avec soulagement. Puis il se tourne vers Anakin d'un air furieux. NOBATA ! KEELYA JEDI !

— Vous allez être exécutés immédiatement, traduit le TC-70.

— QUOI ?!! s'exclament Ahsoka et Anakin à l'unisson.

CHAPITRE 14

La conspiration des Hutts

Ahsoka et Anakin activent leurs sabres-laser, pendant que les gardes Nikto se rapprochent, prêts à tirer.

— Est-ce qu'il vous arrive toujours des trucs comme ça ? demande la jeune fille.

— Oui, partout où je vais ! répond Anakin.

Rotta se met à pleurer alors que l'holoprojecteur de Jabba se met à clignoter.

— Votre oncle Ziro essaie de vous contacter, votre altesse, dit le TC-70.

L'image qui apparaît n'est pas celle de Ziro, mais celle de Padmé. Le cœur d'Anakin se met à battre plus fort.

— Je vous salue, honorable Jabba, commence-t-elle. Je suis la Sénatrice Padmé Amidala du Sénat Galactique, et j'ai découvert l'existence d'un complot contre vous. C'est un des votres qui est responsable.

L'hologramme de Ziro apparaît à côté de Padmé, et Jabba grogne en le voyant.

— Votre oncle ici présent est prêt à avouer qu'il a conspiré contre vous avec le Comte Dooku et kidnappé votre fils pour rejeter la faute sur les Jedi, continue la Sénatrice.

— ZIRO ! TAHJAH WOOCHEESKA ! gronde Jabba.

— OONEETA MABONGA JABBA ! répond Ziro en niant l'accusation.

— ROTTA KO WEEWAH !

— NOBATA JABBA ! C'EST LE Comte DOOKU QUI M'A FORCÉ ! supplie Ziro.

Mais Jabba en a assez entendu. Il ordonne à Ziro de déguerpir. Ce qu'il fait, sans demander son reste.

— WAHH ! JANAGA ZIRO KEEZ ! annonce Jabba.

— C'est… le clan des Hutt qui va s'occuper personnellement de Ziro… très sévèrement, traduit le TC-70.

— Peut-être pouvez-vous autoriser la République à utiliser vos routes commerciales afin que cessent les combats ?, suggère Padmé.

Jabba semble peser le pour et le contre, avant de partir dans un rire énorme en regardant Anakin et Ahsoka.

— HA ! HA ! HA ! KOOTU BARGON TAGWA !

— Son altesse Jabba est d'accord, et confirme qu'il accepte de signer un traité, dit le TC-70.

— Vous ne le regretterez pas, Jabba, croyez-moi, promet Padmé.

Anakin et Ahsoka se regardent d'un air complice et sourient. Ils ont réussi leur mission !

Jabba hoche la tête.

— KLOON WEETU REPUBLICA HUTT MOOKEE ! dit-il.

— Les armées de clones sont libres de circuler sur le territoire de Jabba, dit le droïde.

Les gardes Nikto baissent leurs armes, pendant qu'Anakin et Ahsoka éteignent leurs sabres-laser. Rotta à l'air très heureux d'être enfin auprès de son père.

— Sénatrice, je vous remercie... du fond du cœur, dit Anakin en se tournant vers l'hologramme de Padmé.

— Non, Maître Skywalker. C'est moi ainsi que la République, qui vous remercions, lui répond-t-elle en lui rendant son sourire.

Ils se regardent pendant un long moment, trop long peut-être, au goût d'Ahsoka.

Encore un des secrets de Maître Skywalker, se dit-elle, tandis que l'hologramme disparaît progressivement.

Anakin et Ahsoka s'inclinent respectueusement devant Jabba.

— Jabba souhaiterait que vous capturiez le Comte Dooku et le traduisiez en justice pour les crimes qu'il a commis contre le peuple Hutt, précise le TC-70.

— Vous pouvez compter sur nous, répond anakin.

Le Comte Dooku s'enfuie de Tatooine à bord de son vaisseau. Il a de mauvaises nouvelles à annoncer, et cela ne le réjouit pas vraiment.

Mais il n'est pas question de dissimuler la vérité. Il active son holoprojecteur, et entre en communication avec son maître, Darth Sidious.

— C'est une déroute, Maître, commence Dooku. Les armées Jedi vont avoir accès aux routes commerciales qui mènent à la bordure extérieure. Notre cause va s'en trouver sérieusement compliquée.

Darth Sidious dissimule son visage sous les plis de sa large capuche noire.

— Laissez aux Jedi ce petit succès, mon ami, car la victoire est sur le point de basculer de notre côté, répond-t-il à Dooku d'une voix sifflante.

Sur Tatooine, Anakin et Ahsoka sont sortis du palais de Jabba, et regardent un vaisseau de la République se poser sur le sable. Yoda et Obi-Wan descendent la rampe d'accès, en souriant à Anakin.

Ahsoka se penche vers Anakin, lui aussi tout sourire. La jeune fille sent une bouffée de fierté lui monter au visage.

Depuis le premier jour de son arrivée au Temple, elle n'a cessé d'espérer devenir un grand Chevalier Jedi. Cela lui paraissait tellement inaccessible…

Aujourd'hui, elle semble plus près que jamais de voir son rêve se réaliser…

Fin

La guerre des clones est loin d'être terminée : Anakin, Obi-Wan et Ahsoka protègent la République dans le 6e tome, *Le piège de Grievous*

Le Général Grievous doit se montrer digne des Séparatistes lorsque le Comte Dooku le met à l'épreuve dans sa sinistre forteresse.

Pour connaître la date de parution de ce tome, inscris-toi vite à la newsletter du site

www.bibliothequeverte.com !

Découvre les missions des Jedi !

1. L'invasion droïde

2. Les secrets de la République

3. Le retour de R2-D2

4. Un nouveau disciple

TABLE

« Pour l'éditeur, le principe est d'utiliser des papiers composés de fibres naturelles, renouvelables, recyclables et fabriquées à partir de bois issus de forêts qui adoptent un système d'aménagement durable. En outre, l'éditeur attend de ses fournisseurs de papier qu'ils s'inscrivent dans une démarche de certification environnementale reconnue. »

Imprimé en France par Jean-Lamour - Groupe Qualibris
Dépôt légal : août 2010
20.07.1988.3/02 – ISBN 978-2-01-201988-1
Loi n° 49956 du 16 juillet 1949
sur les publications destinées à la jeunesse